Título original: I CAN BE SAFE
© Texto: Pat Thomas, 2003
© Ilustraciones: Lesley Harker, 2003
Publicado originalmente por Hodder and Stoughton Limited,
un sello de Hodder Headline Group, Gran Bretaña.

© EDITORIAL JUVENTUD, S. A., 2008
Provença, 101 - 08029 Barcelona
info@editorialjuventud.es
www.editorialjuventud.es

Traducción: Maria Lucchetti Bochaca
Primera edición, 2008
Depósito legal: B. 13.714-2008
ISBN 978-84-261-3649-7
Núm. de edición de E. J.: 11.090
Printed in Spain
S. A. de Litografía, c/ Ramón Casas, 2 (Badalona)

¿Sé cuidar de mí?

HABLEMOS DE LA SEGURIDAD

PAT THOMAS
con ilustraciones de LESLEY HARKER

editorial juventud

Barcelona

Todos necesitamos
sentirnos seguros.

Casi todos tenemos lugares
especiales o personas
especiales que nos
hacen sentir
seguros.

Hay muchas personas
que se preocupan por ti
y que quieren ayudarte
para que entiendas
la diferencia entre lo
que es seguro y lo que
no lo es.

Tus padres, tus maestros y maestras,
y muchas otras personas quieren que aprendas
todo lo necesario para que estés seguro,
para que puedas crecer sano y fuerte.

Seguramente ya conoces un montón de medidas de seguridad. Quizá te pones ropa especial para hacer deporte.

Puede que te detengas, mires y escuches atentamente antes de cruzar una calle. O tal vez ya sabes que debes ir cogido de la mano cuando estás en un lugar lleno de gente.

¿Y tú?

¿Qué más haces para estar seguro?
¿Qué haces en casa? ¿Y en la escuela?
¿Y en el parque? ¿Y en la calle?

Hay otras cosas que deberías
saber. Debes saber tu nombre,
el nombre de tus padres
y tu número de teléfono.

Así, si alguna vez
te pierdes, podrás
pedir a alguien
que te ayude
a encontrar
a tu familia.

020 65543
C, VÍA LÁCTEA, 4
DISTRITO 1
SR. JOSÉ PÉREZ
SRA. MARÍA PÉREZ

También deberías ser capaz de marcar el número de los servicios de emergencias en caso de accidente.

¿Y tú?

¿Sabes todas estas cosas? ¿Has hablado con tus padres sobre lo que deberías hacer en caso de emergencia? ¿Qué te han dicho?

¿Sabías que todos tenemos un sentido especial
que nos avisa cuando algo no es seguro?
Se llama instinto, y te ayuda si algo
no va bien o si estás en peligro.

Cuando te sientes
inseguro, tu instinto puede
hacerte sentir algo raro en la
barriga o en la cabeza. Puede hacer que
el corazón te lata más deprisa o que te cueste respirar.
Confía siempre en tu instinto: está para protegerte.

A veces, puede resultar divertido sentir un poco de miedo.

Sobre todo si sabes
que realmente no hay peligro.

Pero a veces
sientes miedo por
un buen motivo.

Como cuando
se te acerca alguien
de quien desconfías
e intenta hablar
contigo o tocarte.

No pasa muchas veces,
pero si pasa, puedes
ignorarlo, decir que no,
e incluso gritar y
defenderte en caso necesario.

Tu cuerpo es tuyo, y tienes derecho a protegerlo. Una buena norma para recordar es que las personas —sobre todo las personas con quienes no te sientes a gusto— no deberían tocarte jamás la parte del cuerpo que te cubres cuando te pones el bañador.

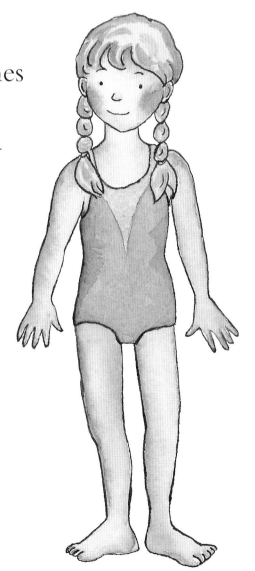

Si ocurriera, deberías decírselo a tu padre
o a tu madre, o a un adulto en quien confíes.
Ellos se asegurarán de que no vuelva a ocurrir.

¿Y tú?

¿Se te ocurre alguna otra manera de protegerte
si se te acerca demasiado un desconocido,
o incluso alguien a quien conoces pero en quien no confías?
¿Qué dicen tus padres que deberías hacer?

A veces, para estar seguro,
debes aprender habilidades y normas nuevas.

Y a veces debes aprender a decir «No» a cosas que parecen divertidas pero que tu instinto te dice que pueden ser peligrosas.

Todos olvidamos alguna vez actuar
de forma segura. Todos nos hemos
perdido, o hemos tenido un susto,
o nos hemos hecho daño alguna
vez en la vida.

Lo que hay que hacer es aprender
de los errores y tener más
cuidado la próxima vez.

PROHIBIDO
EL PASO

Aprender a cuidar de ti
mismo en gran variedad
de situaciones forma parte del
proceso de hacerse mayor. Cuando
te sientes seguro, no debes preocuparte
por nada ni por nadie que pueda dañarte.

Puedes relajarte
y disfrutar, no importa
dónde estés, con quién,
o lo que hagas.

GUÍA PARA UTILIZAR ESTE LIBRO

La seguridad de los niños es responsabilidad de todos. Las escuelas realizan una gran labor en este sentido, ofreciendo lecciones, charlas y proyecciones de películas o vídeos sobre muchos aspectos relacionados con la seguridad personal. A pesar de ello, las lecciones sobre seguridad deben reforzarse constantemente desde casa. Tened en cuenta algunas de las sugerencias que os hacemos para garantizar la seguridad de vuestros hijos en cualquier situación:

En primer lugar, no perdáis la perspectiva. La mayoría de niños llegan seguros y sanos a la edad adulta. Los secuestros y los abusos, si bien son devastadores, son infrecuentes.

La mayoría de padres dan instrucciones sobre la seguridad cotidiana sin ni siquiera darse cuenta: «No toques esto, puedes quemarte», «Dame la mano, que aquí hay mucha gente», «Debes mirar a ambos lados antes de cruzar la calle», «Lávate las manos antes de cenar», «Ponte crema solar».

Las cuestiones de mayor alcance requieren algo más de esfuerzo. Tan pronto como sea posible, deberíais hacer un esfuerzo consciente para aseguraros de que vuestro hijo sepa su nombre completo, el de sus padres, su dirección (incluyendo el número de la casa, la calle, la ciudad y el código postal) y su número de teléfono. Además, habría que enseñar a los niños a marcar el número del servicio de emergencia para pedir ayuda. Tened una lista con los teléfonos importantes en un lugar fácil de encontrar –por ejemplo, colgada en la nevera con un imán de colores– para que los niños la

puedan utilizar en caso de emergencia. La confección de esta lista podría plantearse como unos deberes que el niño debe hacer en casa.

Sed pacientes. Aprender a cuidar de uno mismo es un aprendizaje continuo. No podemos pretender que los más pequeños consideren cada situación desde el punto de vista de la seguridad antes de actuar. Esto corresponde a los padres. Debemos seguir insistiendo en el mensaje y brindarles la oportunidad de hablar de ello. Dar órdenes no suele ser una buena manera de conseguir que los niños piensen en la seguridad. En lugar de eso, debemos dar ejemplo. Aprended a hablar sobre cuestiones de seguridad cuando surja la ocasión: «¿Este niño ya ha mirado a ambos lados antes de cruzar la calle?», «¿Crees que esta niña debería estar nadando sola?». Dejad que el niño piense en ello y que encuentre la respuesta por sí mismo.

Las escuelas pueden organizar una feria anual sobre seguridad. Se podría invitar a representantes de la policía y de los bomberos, de los servicios de ambulancias, de las instalaciones deportivas o de ocio locales, y del ayuntamiento, para que dieran charlas e hicieran demostraciones. Después se podría trabajar en clase lo que los niños han aprendido durante ese día.

Se puede hablar sobre cualquier cosa con los niños si se hace de un modo sencillo. El abuso y el secuestro, por ejemplo, son temas sobre los cuales se puede y se debe hablar desde muy temprana edad. Simplemente, aseguraos de que la información que dais sea adecuada a la edad y a la comprensión del mundo que tiene el niño. Pensad en lo que queréis decir antes de decirlo. Insistid en la idea de que el cuerpo del niño le pertenece y que nadie tiene derecho a tocarlo ni a hacerle daño. Cuando habléis sobre el tema de la privacidad corporal, intentad utilizar palabras reales como «pene» y «vagina». Explicad al niño que debe decíroslo si alguien les habla, bromea o intenta tocarles de un modo que les parezca que no está bien. Remarcad el hecho de que jamás deben tener secretos para vosotros sobre esta cuestión, no importa lo que les digan otras personas.

Por varias razones, los niños pueden tener que quedarse solos en casa durante un rato más o menos largo. Tiene que comprender que nunca deben explicar a nadie que están solos en casa. Ni tampoco deben responder si llaman a la puerta cuando están solos, a menos que esperen visita (y siempre deben comprobar quién es antes de abrir la puerta). Si alguien llama por teléfono y pide hablar con un adulto, el niño que está solo en casa debería decir que sus padres están ocupados en ese momento, tomar el recado y colgar educadamente. No deberían dar nunca ninguna información personal (nombre, teléfono, dirección, etc.) por teléfono o por internet. Para evitar situaciones en que un desconocido intenta llevarse a un niño, algunas familias tienen una contraseña que sólo ellos conocen. Esta contraseña solamente debería utilizarse en situaciones de extrema emergencia, por ejemplo, si algún vecino o una persona a quien el niño no conoce debe recogerlo y ocuparse un rato de él por algún motivo inesperado. Una vez utilizada, hay que cambiar la contraseña por otra.

GLOSARIO

instinto Cuando sabes algo sin que nadie te lo diga. Tu instinto es como un radar personal o como una visión de rayos X. Te ayuda a percibir pistas invisibles que te sirven para darte cuenta de si algo está bien o no.

desconocido Alguien a quien no conoces. Hay desconocidos peligrosos que intentan comportarse como si fueran tus amigos. O que se comportan de un modo distinto cuando están frente a otros adultos de cuando están solos contigo.

RECURSOS

http://www.primeraescuela.com
http://www.msc.es (campaña de prevención de accidentes infantiles)

LECTURAS PARA NIÑOS

El secreto de Ana, M. Margarit (ediciones PAU)
Ni un besito a la fuerza, M. Mebes (Maite Canal Editora)
A Lilí la persiguen, D. Saint Mars (La Galera)
Esa extraña vergüenza, Ll. Núñez (Everest)
La caperucita roja

LECTURAS PARA ADULTOS

Bebés sanos y seguros, Iván Puig, Patricia Iovine (Editorial Juventud)

Manual de seguridad infantil, J. M. Sancho (Hispano Europea)

Víctimas y matones, Claves para afrontar la violencia en niños y jóvenes, Paulino Castells, (E. CEAC)

Los niños necesitan normas, H. Gürtler, (Médicis)